A BOLA E O GOLEIRO

Copyright do texto © 2008 by Grapiúna – Grapiúna Produções Artísticas Ltda.

Copyright dos desenhos © 2008 by Kiko Farkas

Grafia atualizada segundo o Acordo Ortográfico da Língua Portuguesa de 1990, que entrou em vigor no Brasil em 2009.

Projeto gráfico
KIKO FARKAS/MÁQUINA ESTÚDIO

Preparação
DENISE PESSOA

Revisão
OTACÍLIO NUNES
THAÍS TOTINO RICHTER

Foto da página 13
O zagueiro Hideraldo Bellini levanta a taça Jules Rimet em comemoração à vitória do Brasil. Copa do Mundo de 1958, Suécia.

Dados Internacionais de Catalogação na Publicação (CIP)
(Câmara Brasileira do Livro, SP, Brasil)

    Amado, Jorge, 1912-2001.
       A bola e o goleiro / Jorge Amado. — 1ª ed. — São Paulo :
    Companhia das Letrinhas, 2008.

       ISBN 978-85-7406-330-0

    1. Literatura infantojuvenil I. Título.

08-00998   CDD-028.5

Índices para catálogo sistemático:
1. Literatura infantojuvenil 028.5
2. Literatura juvenil 028.5

Todos os direitos desta edição reservados à
EDITORA SCHWARCZ S.A.
Rua Bandeira Paulista, 702, cj. 32
04532-002 – São Paulo – SP – Brasil
☎ (11) 3707-3500
www.companhiadasletrinhas.com.br
www.blogdacompanhia.com.br
/companhiadasletrinhas
companhiadasletrinhas
/CanalLetrinhaZ

Esta obra foi composta em Adobe Garamond e impressa pela Lis Gráfica em ofsete sobre papel Couché Matte da Suzano S.A. para a Editora Schwarcz em setembro de 2024.

A marca FSC® é a garantia de que a madeira utilizada na fabricação do papel deste livro provém de florestas que foram gerenciadas de maneira ambientalmente correta, socialmente justa e economicamente viável, além de outras fontes de origem controlada.

A BOLA E O GOLEIRO

JORGE AMADO

desenhos de
Kiko Farkas

13ª reimpressão

Companhia das Letrinhas

Vou contar a quem a queira
ouvir a história da bola Fura-Redes
e do goleiro Bilô-Bilô, o Cerca-Frango,
uma historinha para ninguém botar
defeito, breve e louca como a vida.

O destino das bolas de futebol é fazer gols e a bola Fura-Redes, como o nome indica, era a maior especialista do país na quantidade e na qualidade dos tentos assinalados. Gols olímpicos, e de efeito, de folha-seca, de letra, de bicicleta, de placa, incomparáveis.

Por isso mesmo tornou-se conhecida e aclamada como Esfera Mágica, Goleadora Genial, Pelota Invencível e Redonda Infernal, pelos locutores enlouquecidos ao microfone, quando a viam atravessar o campo, de passe em passe, de finta em finta, para marcar mais um tento sensacional.

A bola Fura-Redes era o pavor dos goleiros, a paixão dos pontas-de-lança e dos comandantes de ataque, a bem-amada da torcida. Nascera para cruzar o arco, bater-se alegre contra as redes, provocar o grito de guerra e de vitória da galera.

Lustrosa, leve e atrevida, a mais redonda das pelotas, apesar de muito jovem, logo se tornou popularíssima devido ao número de tentos já marcados, cerca de seiscentos; muitos em cada partida. Vários para a equipe A e vários para a equipe Z, pois Fura-Redes mantinha-se absolutamente imparcial quando se exibia no gramado.

Marcava gols para as duas equipes, não protegia qualquer delas, era correta e justa. Assinalaria maior número de tentos o time que mais procurasse o ataque, buscando encurralar o adversário. Com ela, os artilheiros não erravam os chutes, não esperdiçavam bolas nas traves. Mas, sendo igualmente bondosa, dotada de um coração de ouro, Fura-Redes tampouco deixava a outra esquadra em jejum: pelo menos um golzinho de consolação ela lhe concedia antes que o juiz trilasse o apito, dando o desafio por terminado.

Fura-Redes fora proclamada inimiga número um do zero no placar. Os resultados das partidas que jogava davam conta da impressionante vocação da Redondinha para o gol. Redondinha, carinhoso apelido que lhe dera o Rei do Futebol. Escores sempre altos: cinco a quatro, sete a seis, seis a seis. Ou bem violentas goleadas: seis a dois, oito a três, cinco a um, quando se fazia evidente a diferença de qualidade entre os dois clubes, o campeão, dono do gramado, e o adversário, um timinho qualquer, de última categoria.

Atingira Fura-Redes o ponto mais alto de sua brilhantíssima carreira; falava-se nela para ser a bola oficial da próxima Copa do Mundo. Os principais artilheiros dos grandes clubes, os maiores pontas-de-lança do país morriam de amores por ela, todos queriam ser seus favoritos para alcançar o recorde mundial de gols. Mas a heroína dos gramados não revelava preferência por nenhum deles. Partia em direção ao arco tanto do pé do maior dos craques, Rei do Futebol, quanto da chuteira de um perna-de-pau qualquer até então desconhecido. Para ela todos eram iguais, servia-se deles para buscar o gol e desatar a vibração do povo nos estádios a cada tento que marcava, todos dignos de placa. Fura-Redes jamais se apaixonara.

Um dia, porém, como sucede com todas as criaturas, Fura-Redes se apaixonou e logo por quem! Em lugar de se apaixonar por um artilheiro, por um centroavante, um ponta-de-lança, entregou seu coração a um goleiro, ao último dos goleiros, a Bilô-Bilô Mão-Podre, engolidor de frangos.

O goleiro Bilô-Bilô iniciara sua carreira de goleiro sendo saudado em campo com diversos apelidos, cada qual — como direi? — mais caloroso: Cerca-Frango, Mão-Furada, Mão-Podre, Rei-do-Galinheiro e outros nomes ainda mais feios que eu não reproduzo aqui por ser esta historinha dedicada ao público infanto-juvenil.

Pois bem: Bilô-Bilô transformou-se no aplaudido, no popularíssimo Pega-Tudo, o Tranca-Gol, o Aranha, o Maior de Todos.

Dizem ter sido a camisa cor de caramelo usada por Cerca-Frango a causa da paixão de Fura-Redes. Quando o avistou no arco daquele time fuleiro que ainda não ganhara nenhuma partida no campeonato, que recebera goleada sobre goleada, Fura-Redes perdeu a cabeça, não teve olhos para mais ninguém.

Apenas iniciada a partida, ao ser chutada com violência para o arco, foi aninhar-se nos braços do Rei-do-Galinheiro. Pela primeira vez na vida, Cerca-Frango viu-se ovacionado num estádio.

Fura-Redes continuou a fazer gols sensacionais nos demais goleiros, um gol atrás do outro. Mas quando entrava em campo a esquadra em cujo arco Pega-Tudo se exibia, era aquela glória. O arqueiro adversário engolindo bola sobre bola, enquanto Pega-Tudo recolhia a pelota de mil maneiras diferentes, em defesas nunca vistas antes.

Outra coisa não desejava Fura-Redes além de aninhar-se nos braços de seu namorado.

Para não faltar com a verdade, devo dizer que Bilô-Bilô mantinha-se igualzinho, não mudara: continuava sem saber se posicionar entre as traves, não saía do arco no momento certo, faltava-lhe visão do gol, enfim, prosseguia péssimo. Apenas defendia tudo, absolutamente tudo.

Cerca-Frango cercava a bola por um lado, ela estava no outro, a galera já gritava go-o-o-ol! E, de repente, na hora agá, o que se via? Via-se a bola encaixada nas mãos de Pega-Tudo, apertada contra o coração do goleiro, nos braços de Bilô-Bilô, sossegadinha, feliz da vida. Em lugar de um novo gol de Fura-Redes, a torcida saudava mais uma portentosa defesa de Pega-Tudo.

Durante um tempo mais ou menos longo, Fura-Redes e Tranca-Redes, ex-Cerca-Frango, dominaram os estádios brasileiros, empolgando multidões nas festas de tentos maravilhosos e de defesas deslumbrantes. Ocupavam as manchetes dos jornais, as telas das televisões e dos cinemas, obrigavam os locutores a criarem expressões novas, ainda mais grandiloquentes, aumentativos colossais para descrever os feitos da bola e do goleiro.

Depois de varar as redes, aumentando o placar da surra humilhante aplicada na equipe adversária, a Redondinha vinha, redondinha, acolher-se nos braços de Bilô-Bilô, aconchegar-se em seu peito. Por mais de uma vez aconteceu Tranca-Redes beijar Fura-Redes e então, no estádio, o numeroso público delirava.

Parecia um milagre e assim era: milagre de amor não tem explicação, não necessita.

Um dia os jornais, as rádios,
as cadeias de televisão anunciaram para
o Brasil e para o mundo inteiro que
o Rei do Futebol havia faturado o gol
novecentos e noventa e nove e se
preparava para varar o gol número mil,
notícia empolgante e alvissareira.
Jamais outro artilheiro realizara
tal façanha, metera mil gols
nas redes adversárias.

Movimentaram-se os goleiros do Brasil e de todos os países, todos queriam a honra e a glória de engolir o gol número mil do Rei. Vieram telegramas propondo famosos quípers estrangeiros mas os brasileiros protestaram com razão: tinha de ser um goleiro nacional.

Caberia a Bilô-Bilô aquele feito supremo:
cercar o frango no milésimo gol do craque sem igual,
pois cumprindo calendário do campeonato entraram
em campo ou melhor adentraram o gramado — em
embate tão importante não se entra em campo,
adentra-se o gramado — a equipe do Rei e aquela
cujo arco era guardado por Bilô-Bilô.

Evidentemente a bola escolhida para o desafio
não podia ser outra senão a famosa Fura-Redes,
a quem o Rei, como se sabe, galanteava
dizendo-lhe "Redondinha, minha querida,
minha formosa namorada".

Ainda hoje muita gente não acredita no que
aconteceu em campo naquela tarde de sol com
milhares de bandeiras desfraldadas no estádio onde
mais de duzentas mil pessoas se comprimiam,
gritando e aplaudindo. O time do Rei do Futebol,
que devia ganhar de goleada, apanhou uma surra
de criar bicho. Fura-Redes pintou e bordou e quando
faltavam alguns segundos para a partida terminar,
o escore subia a cinco a zero contra a equipe do Rei.

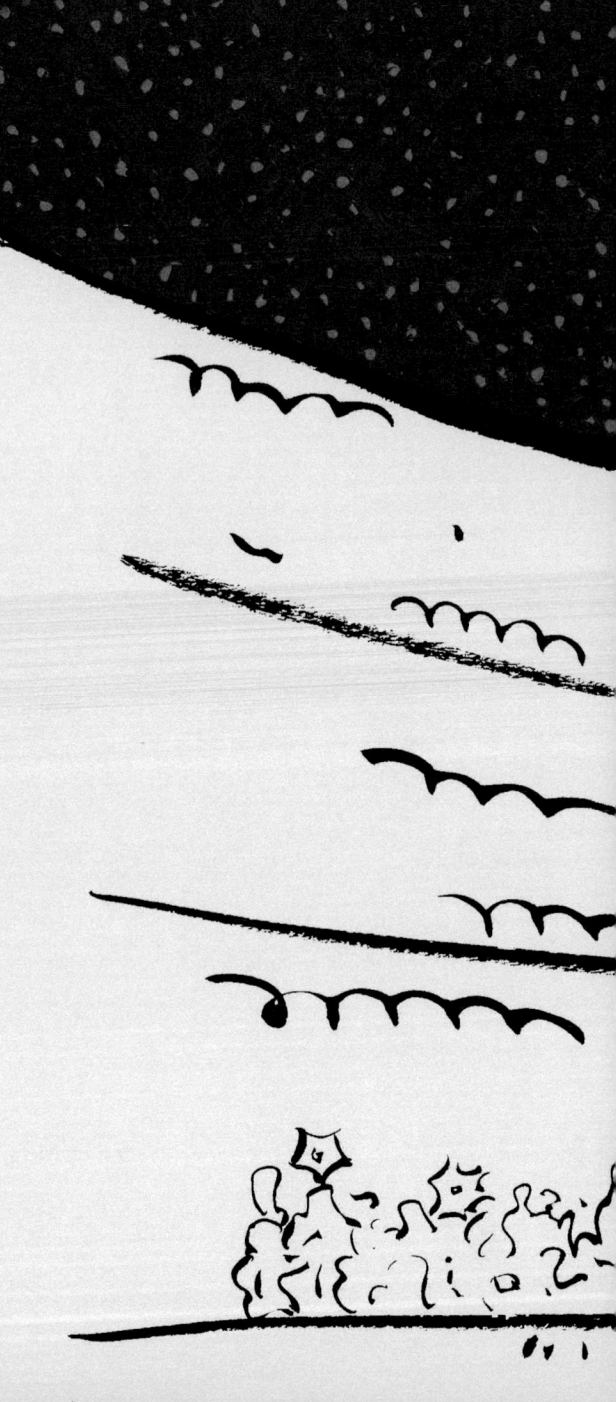

Nos últimos segundos, porém, quando o público, decepcionado por não ter assistido ao gol número mil, começava a deixar o estádio, o juiz marcou um pênalti contra o time de Bilô-Bilô, pênalti que ninguém tinha cometido. Roubo claro e evidente, foi no entanto aplaudidíssimo pois ia possibilitar que aquele imenso público visse e comemorasse o milésimo gol do Rei: mais do que ninguém, vibrou o nosso conhecido Cerca-Frango pronto para cercar o frango real e o engolir inteiro.

rrriiiiiiiiiiiiiiiiii!!!!!!

Colocou-se a bola Fura-Redes na marca do pênalti, um silêncio enorme cobriu o estádio. O Rei do Futebol tomou distância para dar ainda mais força ao chute potentíssimo, indefensável e fazer um límpido gol de placa. Postou-se no arco Bilô-Bilô envergando a vistosa camisa cor de caramelo, nos lábios um riso de contentamento, pronto para não fazer a defesa, para engolir o frango cru, com penas e tudo. Aliás nem se postou no centro do arco como era sua obrigação, ficou encostado na trave direita, do lado de fora, deixando o espaço livre para que Fura-Redes nele penetrasse. Ninguém protestou, todos entenderam o gesto do arqueiro: iria se imortalizar ao receber aquele gol.

Correu o Rei, chutou com a máxima violência a meia altura diante do arco vazio. Duzentas e quatro mil trezentas e dezoito pessoas, sem contar os jornalistas, os cartolas e os penetras, viram Fura-Redes ser atirada com potente e certeiro chute do Rei do Futebol contra o desguarnecido arco de Bilô-Bilô.

Puseram-se todos de pé no estádio, preparados para aplaudir, até o fim do dia e pelo resto da semana, o gol número mil do Rei do Futebol. Viram então Fura-Redes dar meia-volta no ar, desviar-se antes de cruzar o arco, dirigindo-se, dengosa, para onde estava Bilô-Bilô vestido com a camisa cor de caramelo: queria aninhar-se em seus braços.

Mudou Cerca-Frango de posição, fugindo rápido para o outro lado. Fura-Redes fez o mesmo, a buscá-lo. Assim ficaram os dois durante alguns minutos, um tempo enorme, correndo em frente às traves, de uma a outra, até que, desesperado, Bilô-Bilô disparou campo afora deixando o arco à disposição da bola. Mas Fura-Redes partiu atrás de seu goleiro e o perseguiu até que o alcançou diante do arco adversário e em seu peito se aninhou redondinha e amorosa.

Assim terminou a carreira futebolística da bola Fura-Redes e a do goleiro Cerca-Frango que foi o pior e o melhor de todos os goleiros. O que fizeram depois? Ora, o que fizeram! Se casaram e viveram felizes para sempre.

Bahia, janeiro de 1984

Como todo menino brasileiro, KIKO FARKAS logo desenvolveu uma paixão pela bola. Qualquer bola era boa, e qualquer coisa era bola. E qualquer lugar era um bom lugar pra bater uma bolinha com os irmãos ou os amigos.

No corredor do apartamento no Guarujá, na rampa da garagem e até na sala de casa, onde uma vez quebrou um copo de cristal verde. Depois houve uma quadra de verdade no quintal da casa dos pais, onde os campeonatos iam até de madrugada. Quatro-sem-goleiro (ou goleiro-linha). Gol-a-gol, rebatida-drible. O mundo girava ao redor do futebol.

Anos depois, já na faculdade de arquitetura, tinha o Pituba, time de futebol de campo, onde foi escalado titular depois de ter chegado atrasado ao primeiro jogo (só sobrou o gol). Pois Kiko fechou o gol, saindo do campo do colégio Santa Cruz carregado nos ombros da galera depois de defender até pênalti!

Nunca mais conseguiu repetir a atuação e terminou a carreira com uma coleção fenomenal de frangos. Desistiu de ser goleiro e de ser arquiteto, assumindo o prazer de desenhar livros infantis, ganhando prêmios importantes.

Depois de três filhos – Tom, André e Guilherme, o último com dezoito anos –, Kiko casou com a Carla, que tinha um outro Tom – que tem oito anos –, e teve uma filha, Clara, que tem um ano e meio e já bate sua bolinha. Este livro é dedicado à Clara e ao Tomzinho.

Jorge Amado e o artista plástico Carybé no estádio da Fonte Nova, Salvador, em foto de Zélia Gattai Amado.

JORGE AMADO era louco por futebol. Não que jogasse bola ou praticasse outra atividade física: esportes e dança não eram com ele. A única coisa que realmente aprendeu foi andar de bicicleta.

Torcedor do Ypiranga, na Bahia, e do Bangu, no Rio, foi sempre fiel a seus times. Ele gostava de assistir às partidas de futebol no estádio e na TV; acompanhava as nacionais e internacionais, sem falar na Copa do Mundo, que o tirava do sério. Conhecia os jogadores pelo nome e discutia com grande competência sobre pênaltis, faltas, escanteios. Assim, quando um editor pediu que escrevesse um livro infantil para uma coleção, ele criou esta história sobre futebol.

Nascido em 10 de agosto de 1912, em Itabuna, filho de João Amado de Faria e Eulália Leal, Jorge mudou-se aos dois anos, com a família, para Ilhéus. Aos dez anos, foi mandado para um internato em Salvador, onde descobriu os livros. Começou a escrever profissionalmente aos catorze anos, como repórter em Salvador, e na década de 30 transferiu-se para o Rio de Janeiro, onde estudou direito e conheceu artistas e intelectuais. Publicou seu primeiro romance, *O país do Carnaval*, em 1931. Por causa da intensa atividade política, chegou a ser preso algumas vezes. Em 1945 conheceu Zélia Gattai, com quem se casou e teve dois filhos, João Jorge e Paloma.

Jorge Amado lançou mais de trinta livros, publicados em mais de cinquenta países e adaptados para o cinema, teatro, rádio e televisão. Em 1976, publicou a novela infantil *O Gato Malhado e a Andorinha Sinhá*. Morreu em 2001, logo antes de completar 89 anos.

COLEÇÃO JORGE AMADO
Conselho editorial
Alberto da Costa e Silva
Lilia Moritz Schwarcz

O país do Carnaval, 1931
Cacau, 1933
Suor, 1934
Jubiabá, 1935
Mar morto, 1936
Capitães da Areia, 1937
ABC de Castro Alves, 1941
O Cavaleiro da Esperança, 1942
Terras do sem-fim, 1943
São Jorge dos Ilhéus, 1944
Bahia de Todos-os-Santos, 1945
Seara vermelha, 1946
O amor do soldado, 1947
Os subterrâneos da liberdade
    Os ásperos tempos, 1954
    Agonia da noite, 1954
    A luz no túnel, 1954
Gabriela, cravo e canela, 1958
De como o mulato Porciúncula descarregou seu defunto, 1959
Os velhos marinheiros ou O capitão-de-longo-curso, 1961
A morte e a morte de Quincas Berro Dágua, 1961
Os pastores da noite, 1964
O compadre de Ogum, 1964
A ratinha branca de Pé-de-vento e A bagagem de Otália, 1964
As mortes e o triunfo de Rosalinda, 1965
Dona Flor e seus dois maridos, 1966
Tenda dos Milagres, 1969
Tereza Batista cansada de guerra, 1972
Tieta do Agreste, 1977
Farda, fardão, camisola de dormir, 1979
O milagre dos pássaros, 1979
O menino grapiúna, 1981
Tocaia Grande, 1984
O sumiço da santa, 1988
Navegação de cabotagem, 1992
A descoberta da América pelos turcos, 1992
Hora da Guerra, 2008

Infantis
    O gato malhado e a andorinha Sinhá, 1976
    A bola e o goleiro, 1984